Vá mais longe

Treine sua memória e sua inteligência

AUGUSTO CURY
O PSIQUIATRA MAIS LIDO DO MUNDO

Vá mais longe
Treine sua memória e sua inteligência

Principis

Esta é uma publicação Principis, selo exclusivo da Ciranda Cultural
© 2021 Ciranda Cultural Editora e Distribuidora Ltda.

Texto
© Augusto Cury

Editora
Michele de Souza Barbosa

Revisão
Fernanda R. Braga Simon

Diagramação
Linea Editora

Produção editorial
Ciranda Cultural

Design de capa
Ana Dobón

Imagens
Protasov AN/shutterstock.com

Dados Internacionais de Catalogação na Publicação (CIP) de acordo com ISBD

C982c	Cury, Augusto
	Vá mais longe: treine sua memória e sua inteligência / Augusto Cury. - Jandira, SP : Principis, 2021.
	64 p. ; 15,50cm x 22,60cm. (Augusto Cury)
	ISBN: 978-65-5552-692-9
	1. Autoajuda. 2. Desenvolvimento. 3. Psicologia. 4. Autonomia. 5. Autoconhecimento. I. Título.
2021-0289	CDD 158.1
	CDU 159.92

Elaborado por Lucio Feitosa - CRB-8/8803

Índice para catálogo sistemático:
1. Autoajuda : 158.1
2. Autoajuda : 159.92

©2021 Dreamsellers Pictures Ltda.
www.augustocury.com.br

1ª edição em 2021
www.cirandacultural.com.br
Todos os direitos reservados.
Nenhuma parte desta publicação pode ser reproduzida, arquivada em sistema de busca ou transmitida por qualquer meio, seja ele eletrônico, fotocópia, gravação ou outros, sem prévia autorização do detentor dos direitos, e não pode circular encadernada ou encapada de maneira distinta daquela em que foi publicada, ou sem que as mesmas condições sejam impostas aos compradores subsequentes.

Dedico este livro a alguém especial.

Que você capacite seu Eu para ser autor de sua história e gerenciar sua mente.

Se treinar, não tenha medo de falhar. E, se falhar, não tenha medo de chorar.

E, se chorar, corrija suas rotas, mas não desista.

Dê sempre uma nova chance para si e para quem ama. Só adquire maturidade quem usa suas frustrações para alcançá-la.

Sumário

1   Desvendando os papéis e os segredos da memória   11

2   10 técnicas para proteger a memória   21

3   10 técnicas poderosas para treinar a memória e desenvolver a inteligência   31

4   Cuidar da memória é cuidar do futuro socioemocional   51

Referências   59

Sobre o autor   61

Capítulo 1

Desvendando os papéis e os segredos da memória

Nossos erros históricos relativos à memória parecem coisa de ficção. Há milênios atribuímos à memória funções que ela não tem. Há graves erros no entendimento da memória tanto na psicologia como na educação. A ciência desvendou pouco os principais papéis da memória. A Teoria da Inteligência Multifocal, desenvolvida por mim, vem contribuir humildemente para corrigir algumas importantes distorções nessa área fundamental.

Milhões de professores no mundo estão usando a memória inadequadamente. Por exemplo, o registro da memória depende da vontade? Muitos cientistas pensam que sim. Mas estão errados. O registro é automático e involuntário.

A memória pode ser deletada como a dos computadores? Milhões de usuários dessas máquinas creem que sim. Mas é impossível deletá-la. Precisamos compreender o funcionamento da mente e os papéis básicos da memória para encontrar ferramentas para expandir nossa inteligência, enriquecer nossas relações e reconstruir a educação. Neste livro, farei uma abordagem sintética do tema.

Treinar os papéis da memória é:

- Entender a complexa atuação do *fenômeno RAM* (registro automático da memória): o arquivamento das experiências.
- Perceber a formação das *janelas da memória* como território de leitura em determinado momento existencial.
- Compreender a formação das *janelas light, killer* e *neutras*, bem como dos traumas e das zonas de conflito na memória.
- Descobrir o papel da emoção no processo de abertura das *janelas da memória*, na construção das cadeias de pensamento e na atuação do Eu como autor da própria história.
- Usar ferramentas para reeditar o filme do inconsciente, proteger a memória e filtrar os estímulos estressantes.
- Cuidar da memória como um jardim de *janelas light*, e não como um depósito de lixo de experiências asfixiantes.

O registro na memória é involuntário

Certa vez, um professor foi ofendido por um aluno. Sentindo-se tratado desumana e injustamente, decidiu excluir o aluno de sua vida. Fez um esforço enorme. Mas, quanto mais tentava esquecê-lo, mais pensava nele. Ao vê-lo, sentia raiva. Por que não conseguia esquecê-lo? Porque esse tipo de registro é automático, não depende da vontade.

Nos computadores, o registro depende de um comando do usuário. No ser humano, o registro é involuntário, realizado pelo *fenômeno RAM* (registro automático da memória), que arquiva informações saudáveis, doentias ou *neutras* sobre tudo o que ocorre. Cada ideia, pensamento, reação ansiosa, momento de solidão ou período de insegurança é registrado em sua memória, passando a fazer parte da colcha de retalhos de sua história existencial, do filme de sua vida.

Infelizmente, por desconhecermos os papéis da memória, não sabemos trabalhar o mais complexo solo de nossa personalidade. Tornamo-nos péssimos agricultores de nossa mente.

Quanto mais tentarmos repelir, por exemplo, uma ofensa, perda, rejeição social, falha ou pessoas desafetas, mais elas serão registradas como *janelas killer* (janelas traumáticas) pelo *fenômeno RAM*, mais serão lidas pelo gatilho da memória, pelo autofluxo e pelo Eu, mais construirão milhares de pensamentos e imagens mentais angustiantes e mais serão novamente registradas pelo *fenômeno RAM*, fechando o círculo da masmorra psíquica, desertificando os nobres jardins da personalidade.

A emoção determina a qualidade do registro

Quanto maior o volume emocional envolvido em uma experiência, mais privilegiado e com mais chance de ser lido seu registro. Você registra milhões de experiências por ano, mas resgata frequentemente as que têm maior conteúdo emocional, como as que envolveram perdas, alegrias, elogios, medos, frustrações.

Onde as experiências são registradas? Primeiramente, na memória de uso contínuo (MUC), a memória consciente, utilizada nas atividades diárias. As experiências com alto volume tensional são registradas como *janelas killer duplo P* no centro consciente (MUC) e, a partir daí, passam a ser lidas continuamente e registradas novamente – por isso o nome *duplo P* ou duplo poder: poder de aprisionar o Eu e poder de se expandir.

Com o passar do tempo, à medida que não são utilizadas com frequência, as experiências vão sendo deslocadas para a parte periférica da memória, contaminando a chamada memória existencial ou inconsciente (ME). A MUC representa o centro da cidade da memória, e a ME, os bairros periféricos.

Janelas killer e preguiça mental

À medida que uma pessoa não usa bem a memória para produzir um raciocínio brilhante, torna-se mentalmente preguiçosa, desmotivada, conformista e pouquíssimo produtiva, embora possa ter grande potencial. As plataformas de *janelas killer* registradas ao longo desse marasmo existencial têm o poder de encarcerar o Eu e desertificar as matrizes saudáveis da memória. Esta, como disse, é um delicado jardim – quem não cuida da memória vive continuamente num rigoroso inverno existencial e, pior ainda, sem nenhuma proteção contra as intempéries da vida.

Quando alguém tenta estimular essa pessoa, ela oferece grande resistência. Se lhe fala que tem grande potencial, ela não acredita. Se a encoraja a enfrentar e superar a solidão, a angústia, a ansiedade, as fobias, ela acha esse enfrentamento e superação impossíveis. É vítima do gatilho da memória, o qual abre uma plataforma de *janelas killer*, que gera, em seguida, um intenso volume de tensão, bloqueia milhares de outras janelas saudáveis e impede o Eu de ter acesso a informações importantes para dar respostas inteligentes em situações estressantes. Esse é o complexo mecanismo psíquico, que mexe com as estruturas do inconsciente, que poucos profissionais da saúde mental, incluindo médicos e psicólogos, estudam.

Quem não cuida
da memória vive
continuamente num
rigoroso inverno
existencial e, pior
ainda, sem nenhuma
proteção contra as
intempéries da vida.

O volume de tensão das *janelas killer duplo P* (poder de encarcerar o Eu e poder de transformar doentiamente a personalidade ou deslocar sua dinâmica) produz a Síndrome do Circuito Fechado da Memória. O volume de ansiedade é tão grande que bloqueia o acesso a milhões de outras janelas que contêm inúmeras informações, fechando o circuito da memória. O Eu torna-se um escravo do circuito fechado, o que o leva a ter dificuldade gritante de tomar decisões, fazer escolhas e assumir perdas.

A emoção determina o fechamento e a abertura da memória

Alguém acabou de lhe fazer um elogio. Você registra na MUC (memória central ou consciente). Lê diversas vezes esse elogio. No dia seguinte, você não o lerá tanto. Na semana seguinte, é provável que já não o leia mais. Entretanto, esse elogio não foi apagado, foi para a ME (memória periférica ou inconsciente). Continuará influenciando a sua personalidade, porém com menor intensidade.

Você acabou de dar uma conferência ou de apresentar um trabalho na empresa ou na universidade e perdeu o raciocínio no meio da apresentação. Não conseguiu falar o que queria, a tensão dominou você. As pessoas perceberam sua insegurança. Você registrou essa experiência na MUC. Se conseguiu filtrá-la, por meio da crítica positiva e da compreensão, ela foi registrada sem grande intensidade. Se não conseguiu proteger sua memória, ela foi registrada intensamente.

Você já notou que às vezes somos incoerentes diante dos pequenos problemas e lúcidos diante dos grandes? Nossas mudanças intelectuais são promovidas não pelo tamanho dos problemas externos, mas pela abertura ou fechamento das áreas de leitura da memória.

Pequenos problemas, como um olhar de desprezo ou a imagem de uma barata, podem gerar uma crise de ansiedade, que fecha áreas nobres da memória e obstrui a inteligência. Em alguns casos, o volume de ansiedade ou sofrimento pode ser tão grande que reagimos sem nenhuma lucidez. Toda vez que temos uma experiência que produz alta carga emocional ansiosa, devemos atuar.

Certa vez, presenciei um pai e um filho adolescente brigarem fisicamente na minha frente por um problema tolo. O motivo externo era pequeno, mas acionava as imagens monstruosas que um tinha do outro, gerando grave intolerância e crise de ansiedade.

Uma crítica mal trabalhada pode romper uma amizade. Uma discriminação sofrida pode encarcerar uma vida. Uma decepção afetiva pode gerar intensa insegurança. Uma falha pública pode gerar bloqueio intelectual. As brincadeiras em que certos alunos são chamados por apelidos pejorativos podem gerar graves conflitos.

A memória não pode ser apagada ou deletada

Nos computadores, a tarefa mais simples é deletar ou apagar as informações. No ser humano, isso é impossível, a não ser por lesões cerebrais, como um tumor, um trauma cranioencefálico, uma degeneração celular. Você pode tentar com todas as suas forças apagar seus conflitos, pode tentar com toda a sua habilidade destruir as pessoas que o(a) machucaram, bem como os momentos mais difíceis de sua vida, mas não terá êxito.

Há duas maneiras de resolvermos nossos conflitos, traumas, transtornos psíquicos:

1. Reeditar o filme do inconsciente.
2. Construir janelas paralelas às janelas doentias.

Toda vez que
temos uma
experiência que
produz alta carga
emocional ansiosa,
devemos atuar.

Capítulo 2

10 técnicas para proteger a memória

Cuide do centro e da periferia da memória

Usando a metáfora da cidade para entender a memória humana, podemos dizer que a ME (memória existencial) são os inúmeros bairros que compõem a cidade, e a MUC (memória de uso contínuo) é o nosso centro de circulação.

Assim, a MUC, memória consciente ou central, representa as ruas e avenidas, lojas, farmácias, supermercados, locais de trabalho, teatros etc. que o Eu frequenta rotineiramente. Ela representa talvez menos de 1% de toda a memória, mas é a memória de uso constante. Se você mora numa cidade grande, note que circula apenas num pequeno espaço. Grande parte das ruas, avenidas, farmácias e lojas não faz parte da sua rotina.

Todos os dias, eu e você acessamos as informações da MUC para desenvolver respostas sociais, tarefas profissionais, comunicação, localização espaçotemporal, operações matemáticas usuais. Para assimilar as palavras deste livro, você está usando grande parte das informações da MUC. Os elementos da língua corrente estão no centro da memória. Se você souber outra língua, mas fizer anos ou décadas que não a fala, terá dificuldade de acessá-la, porque ela foi para a periferia, a ME. Com o tempo, ao exercitá-la, você trará os elementos dessa língua novamente para o centro, a MUC, e voltará a ter fluência. Todos os dados e experiências novos são arquivados na MUC por meio do *fenômeno RAM* (registro automático da memória). O *fenômeno RAM* atua essencialmente na MUC, na região central do córtex cerebral – refiro-me ao centro de utilização e resgate de matérias-primas para a construção de pensamentos, e não ao centro anatômico do córtex cerebral.

Conheci um pai e um filho que tinham um belíssimo relacionamento. Trabalhavam e se divertiam juntos. Eram dois grandes amigos. O pai infelizmente teve um tumor no pâncreas e veio a falecer. Apesar de ser casado e ter uma vida própria, o filho ficou perturbadíssimo.

Desenvolveu uma depressão reativa diante dessa perda. Pouco a pouco, perdeu o encanto pela vida, o prazer de trabalhar, a motivação para criar. Quanto mais se angustiava pela ausência do pai, mais produzia janelas com alto poder de atração e que, consequentemente, agregavam novas *janelas killer*. Adoeceu.

Procurando-me, expliquei-lhe esse mecanismo. Falei da masmorra das *janelas duplo P* construída no epicentro da MUC. E disse que seu Eu deveria sair da passividade e ser proativo. Deveria usar a perda não para se mutilar, mas para proclamar diária e continuamente que honraria a história bela que teve com o pai e que, por amor a ele, seria mais feliz, ousado e determinado.

A dor pode ser indecifrável, mesmo para os mais experientes psiquiatras, mas o Eu pode reescrever o centro da sua história, pode voltar a se tornar um sonhador, pode construir um jardim depois do mais duro inverno. Pais que perderam os filhos, por exemplo, em vez de se sentirem os mais infelizes dos seres humanos, deveriam honrar a história que viveram com eles.

O ódio faz mal ao hospedeiro, e não à pessoa odiada.

Memória inconsciente

A ME ou memória inconsciente representa todos os extensos bairros periféricos edificados no córtex cerebral desde os primórdios da vida. São regiões do inconsciente ou subconsciente que o Eu e outros fenômenos que constroem cadeias de pensamento não utilizam frequentemente. Mas tais regiões não deixam, em hipótese alguma, de nos influenciar.

As fobias, o humor depressivo, a ansiedade, as reações impulsivas e as inseguranças, que não sabemos de onde vêm ou por que existem, emanam dessa memória existencial ou inconsciente. A solidão ao entardecer ou no final do domingo, a angústia que surge ao amanhecer ou a alegria que aparece sem nenhum motivo também vêm dessas regiões.

Formas erradas de proteger a memória

A pior maneira de filtrar estímulos estressantes, como traição, perda, humilhação, ofensa, crise, vexame público, frustração e decepção, é: ter aversão, ter medo, odiar, rejeitar, reclamar, excluir, negar. Todas essas atitudes e reações colocam combustível no fenômeno RAM, potencializando o arquivamento do estímulo estressante, levando à retroalimentação da janela traumática. O ódio faz mal ao hospedeiro, e não à pessoa odiada. Excluir alguém pode ferir muito o excluído, mas não deixa ileso quem exclui, pois isso é fortemente registrado em seu cérebro. Do mesmo modo, negar, rejeitar, distanciar-se desprotege a memória e a emoção.

Todos esses padrões de comportamento existem desde os primórdios da civilização. São praticados intensamente até hoje nas escolas, universidades, religiões, sociedades e culturas. Por isso, o pior inimigo de um ser humano é frequentemente ele mesmo. Por desconhecer o elemento-chave da psicologia, ou seja, o pensamento, e como ele se constrói e se registra, as pessoas levam seus desafetos e oponentes para sua cama, sua mesa, sua história.

10 técnicas poderosas para proteger a memória

1. Ter consciência de que cedo ou tarde ocorrerão frustrações, por melhor que seja uma relação.
2. Doar-se sem esperar a contrapartida do retorno.
3. Desenvolver a tolerância no sentido mais pleno, entendendo que por trás de uma pessoa que nos machuca sempre há alguém machucado. Quem dá mais desconto para os outros é mais feliz e saudável.
4. Não cobrar excessivamente dos outros. Quem cobra de forma exagerada planta *janelas killer* que bloqueiam a criatividade das pessoas que o rodeiam.
5. Não cobrar excessivamente de si. Quem cobra demais de si sabota sua felicidade, registra janelas traumáticas que aumentam os níveis de exigência para ser feliz, realizado, saciado. Torna-se carrasco de si mesmo.
6. Entender que perdoar é atributo dos fortes. Quem perdoa com facilidade protege a memória. Jamais se esqueça de que perdoar não é um ato heroico, mas um ato inteligente de alguém que procura compreender o que está por trás dos comportamentos dos outros, incluindo sua estupidez, arrogância e erros.
7. Julgar menos e abraçar mais.

8. Não levar a vida a ferro e fogo nem se guiar pelo fenômeno "bateu-levou". Agredir quem nos agride retroalimenta a violência.
9. Proteger a emoção. Não deixar que ela se transforme numa "terra de ninguém", que pode ser invadida por qualquer crítica, perda ou frustração.
10. Cultivar uma mente livre e madura capaz de cuidar da paisagem dos solos da memória. Você a cultiva? A grande maioria das pessoas vive ingenuamente, no mau sentido da palavra.

Um Eu radical parece forte por fora, mas é uma criança por dentro. Por desconhecer essas técnicas poderosas para proteger a memória, prepara uma sepultura para sua saúde mental e seu prazer de viver.

Uma mente livre pertence às pessoas que vivem suave e serenamente, que arquivam todos os dias belas *janelas light*.

Um bate-papo inteligente

Certo dia, dando uma conferência nos EUA sobre o Freemind, um dos programas pioneiros globais, se não o primeiro, de prevenção de transtornos psíquicos na humanidade, um professor me perguntou:

– Como agir com pessoas lerdas, que demoram para "pegar" as coisas?

– Sim, há pessoas mais lentas e com mais dificuldade de assimilação, principalmente aquelas que, por exemplo, sofreram déficit de oxigênio no momento do parto. Mas mesmo essas podem usar técnicas que ajudam a melhorar o armazenamento da memória e o raciocínio – respondi.

– Interessante! – exclamou o professor.

E eu completei:

– Basta usar o método correto para despertar a inteligência de qualquer ser humano. As crianças com Síndrome de Down, por exemplo, têm uma inteligência especial e uma sensibilidade notável. Enriquecê-la e equipá-la depende da carga de estímulos, da metodologia, da relação educador-aluno, das funções da inteligência que trabalhamos.

– Impressionante! Todos têm oportunidade para desenvolver sua inteligência! Isso quebra meus preconceitos. Eu sempre pensei que alguns, como Einstein, têm uma memória de elefante, e outros, a de um rato.

– Felizmente você errou, professor.

– Sim! Pensava comigo: numa grande família sempre tem um gênio e outros medianos. Eu era o mediano. Mas hoje tenho autoestima elevada.

– E como conseguiu se superar? – perguntei.

– Ralei.

– Você uniu projeto de vida à disciplina. Parabéns! O mais importante não é ter um grande armazém, uma grande memória, mas a forma como você empilha e organiza tudo dentro do seu cérebro.

– Acho que fiz isso!

– Mas há algo mais importante: não basta somente organizar melhor os dados na memória, também é preciso saber utilizar de forma mais adequada as informações, pensar antes de reagir, refletir, analisar... Os físicos e os engenheiros de hoje têm mais informações do que Einstein tinha, mas foram as técnicas emocionais e intelectuais que Einstein usou para organizar os dados que o levaram a criar grandes ideias – expliquei.

– Todo mundo acha que a memória de Einstein era a maior do mundo e que por isso ele foi um gênio. Mas você está dizendo que foram outros elementos que o levaram a ser um grande pensador – comentou ele.

– Sim! Todos os grandes pensadores da história tiveram mais do que um QI (quociente de inteligência) privilegiado, mas um QP (quociente da arte de pensar) avantajado.

– QP?

– QP se refere às funções mais complexas da inteligência. O QI envolve registrar informações, assimilá-las, reproduzi-las e outros elementos, mas o QP vai muito além. Tem funções vitais para formar pensadores brilhantes, livres, generosos, tolerantes, criativos, ousados. São funções que trabalhamos no projeto Escola da Inteligência, funções essas que são pouco trabalhadas no currículo das escolas em todo o mundo, inclusive nas universidades. Infelizmente, estamos formando mais repetidores de informações – respondi.

– Cite algumas dessas funções, Dr. Cury, por favor.

– Citarei apenas 10 funções do QP:

1. Pensar antes de reagir.
2. Aprender a expor e não a impor ideias.
3. Colocar-se no lugar dos outros.
4. Resiliência (capacidade de suportar contrariedades): trabalhar perdas e frustrações.
5. Proteger a emoção: ferramentas para prevenir transtornos emocionais.
6. Gerenciar o estresse.
7. Gerenciar os pensamentos.
8. Generosidade: o prazer de se doar.
9. Tolerância: a capacidade de ser flexível.
10. Carisma (arte de encantar os outros) e o trabalho em equipe.

Capítulo 3

10 técnicas poderosas para treinar a memória e desenvolver a inteligência

Certa vez dei uma conferência num congresso internacional de educação para mais de dois mil professores. Depois de uma exposição sobre o funcionamento da mente e o desenvolvimento da memória, abri para a participação da plateia. Houve um debate interessantíssimo sobre o desenvolvimento da inteligência e os papéis da memória.

Professores de todo o país e também do exterior, animados com a liberdade que lhes dei, expressaram suas dúvidas sobre a mente humana e as preocupações com seus alunos. O debate foi tão importante que muitos professores levaram as ideias que discutimos para sua escola, cidade, estado e divulgaram como puderam.

A professora Maria de Lourdes, diretora de uma escola, fez a tradicional indagação:

– Há alunos mentalmente incapazes?

– Não! Não há pessoas burras ou incapazes. Toda mente é um cofre. O que há são chaves erradas para abri-las. Cada ser humano tem um potencial intelectual que pode ser explorado de forma maravilhosa e surpreendente – respondi.

Outro diretor questionou:

– Mas por que alguns vão mal nas provas?

— Porque não treinam seu Eu para ser gestor de sua mente e explorador de sua memória. Desconhecem as técnicas fundamentais para libertar sua criatividade, desatar suas falsas crenças e armadilhas mentais.

— Como assim?

— Muitos jovens e adultos creem que têm péssima memória e por isso não conseguem brilhar na escola e no trabalho. Não sabem que a baixa autoestima e o sentimento de incapacidade – enfim, doses de pessimismo em relação ao próprio potencial – tornam-se falsas crenças que são registradas de maneira privilegiada pelo *fenômeno RAM* na MUC (memória de uso contínuo), formando uma janela traumática especial, chamada *janela killer duplo P*. Quando eles entram nessa janela, fecham o circuito da memória, produzindo o cárcere do Eu e o aprisionamento de sua capacidade de acessar dados e dar respostas inteligentes. Portanto, não é a dificuldade de registro de informações que é a vilã de milhões de jovens e adultos, mas as falsas crenças.

— Há outras armadilhas mentais além das falsas crenças? – indagou Jamile, professora do ensino médio.

— Várias. Por exemplo, há pessoas hiperativas ou com a SPA (Síndrome do Pensamento Acelerado) que são agitadas, inquietas, não se concentram, não têm o deleite do prazer de aprender, o que dificulta a assimilação e a consequente utilização das informações. Por isso, deveriam observar e absorver técnicas poderosas para treinar a memória.

Mariana, uma professora do ensino fundamental, comentou:

— Interessante. Muitos dos meus alunos são presos a essas falsas crenças e são agitadíssimos. Não ficam quietos, vivem com conversas paralelas.

— No mundo todo, os professores têm sido cozinheiros de um alimento para uma plateia sem nenhum ou com muito pouco apetite. Por isso escrevi o livro *Ansiedade – como enfrentar o mal do século*. Nesse livro, discorro sobre a SPA, a Síndrome do Pensamento Acelerado, que produz um desastre na qualidade de vida de jovens e adultos.

A professora Mariana perguntou:

– Mas diga-me, Dr. Cury, que técnicas você recomenda aos alunos para que possam desacelerar o pensamento, treinar o Eu, capacitar a memória e expandir a inteligência?

– Há algumas técnicas fundamentais e poderosas que podem revolucionar a mente de um ser humano, inclusive dos alunos agitados, alienados, tímidos, com baixa autoestima ou que têm baixo desempenho nas provas.

– Elas são difíceis de ser aplicadas? – perguntou a professora.

– Não! Elas são universais. Podem ser aplicadas por jovens e adultos norte-americanos, brasileiros, africanos, chineses, árabes, coreanos... Aí vai a *primeira técnica: ter prazer em aprender, paixão pelo conhecimento.*

– Espere um pouco... Como ter prazer em aprender se muitos alunos acham um saco ir para a escola? Alguns acham que estudar é como comer churrasco sem sal... – questionou o professor Marcos, mestre de uma grande universidade.

– Correto! Por isso a primeira técnica precisa da segunda. Mas raramente é praticada nas escolas. Essa é uma das minhas críticas à educação mundial.

– Qual é essa técnica? – indagou o professor Fernando, que leciona em um curso de direito.

– *Segunda técnica: descobrir a história por trás das informações, dar personalidade a elas.* Não adianta querer ter paixão em aprender sem investigar minimamente o que está por trás das informações. A história da informação dá tempero, turbina o prazer de aprender.

– Como assim? – perguntou o Dr. Plácido, um psiquiatra.

– Os alunos precisam saber, Dr. Plácido, que cada informação que ouvem ou veem tem lágrimas, aventuras, noites de insônia, coragem e vontade de mudar o mundo por parte do pensador que a produziu. As informações têm de ganhar personalidade!

– Eureca! Entendi, Dr. Cury! – falou Bartolomeu, um professor de física do ensino médio, e complementou: – Por trás da Teoria da Relatividade existiram enormes dificuldades, desprezos, batalhas, dúvidas e vontade de ajudar a humanidade. Milhões de pessoas aplaudem as ideias de Einstein, mas não sabem as crises que ele enfrentou. Parece que ele é um deus da ciência, e nós, um bando de ignorantes. Esse endeusamento impede os alunos de serem ousados como ele foi!

– Corretíssimo, professor Bartolomeu! Nada abre tanto o apetite intelectual dos alunos como dar "rosto" às informações, ainda mais nestes tempos de internet. Os professores ficam chatos se não temperam as informações com, por exemplo, as aventuras dos cientistas. Mas, se contarem a história deles de uma forma teatralizada, até alunos mais distraídos e alienados melhorarão sua concentração.

Falar dos pensadores é tão importante como falar das informações que eles produziram. Isso estimulará a formação de indivíduos que acreditarão no seu potencial intelectual, que criarão novas ideias.

Confirmando isso, Lúcia, uma professora do ensino fundamental II, disse:

– Eles terão mais coragem de levantar as mãos, perguntar e expressar o que pensam.

– Deixarão de ser uma plateia de mudos – complementou o professor Norberto.

E você, que está lendo este livro, faz parte da plateia dos mudos ou dos malucos que perguntam na classe? Dos que têm medo ou dos que são corajosos para emitir sua opinião?

Aproveitei para perguntar ao professor Norberto:
– Em que época se produziram mais pensadores, professor? Quando os pensadores estavam vivos? Por exemplo, quando Einstein e Freud estavam vivos, ou nas gerações seguintes, que supervalorizaram suas teorias e os achavam os grandes gênios da história?
– Nunca tinha pensado nisso. Mas espere aí, deixe-me pensar...
– falou Carmem, do ensino fundamental I. – Será que quando já estavam mortos, Dr. Cury? – completou.
– Não! – afirmei.
– Claro! Quando estavam vivos! Pois os seus alunos viam os defeitos, a coragem e as dificuldades deles. Eles viam seu "rosto" e se animavam também a se arriscar e a produzir novos conhecimentos – disse a professora Cláudia.
– Parabéns, professora! Dessa observação vem a *terceira técnica: quem vence sem riscos e dificuldades sobe no pódio sem glórias.* Riscos extremos são tolos, mas riscos dosados são fundamentais. Quem não correr riscos para ir atrás de novas ideias, sonhos e projetos não sairá do lugar. Muitos jovens não viram nada na vida não porque não têm grande potencial, mas porque não saem da sua zona de conforto. A *quarta técnica: superar as armadilhas do medo.*
– Medo é um problema, um campo minado – concordou o Dr. Plácido.
– Mas sem superar nossos medos não saímos da nossa zona de conforto, não corremos riscos, não lutamos pelos nossos sonhos nem expandimos as funções da inteligência – respondi.

– Todos nós temos alguns tipos de medo, ou só os fracos têm? – indagou a professora do ensino fundamental Rosana.

– Todos nós. Mas alguns medos são ocultos, nem nós mesmos os detectamos.

– Quais os medos mais importantes que atingem os jovens, Dr. Cury? – perguntou o professor Jaime.

– Boa pergunta, professor! Vou citar 10 tipos de medo que em minha opinião mais abalam os jovens:

1. Medo de errar, inclusive nas provas.
2. Medo de ser criticado ou de ser zombado.
3. Medo do que os outros pensam e falam da sua pessoa.
4. Medo de não ser aceito no grupo, de ser rejeitado.
5. Medo dos desafios, medo de "quebrar a cara".
6. Medo de falar em público e de debater ideias.
7. Medo de adoecer e de morrer.
8. Medo de perder os pais ou as pessoas que ama.
9. Medo do futuro: medo de não conseguir um bom emprego e não virar nada na vida.
10. Medo do medo, medo do novo.

A Escola da Inteligência

Após a exposição dos 10 tipos de medo mais comuns que assombram o ser humano, que se tornam vampiros de jovens e adultos, sugando sua alegria, concentração, raciocínio, criatividade, o professor Bartolomeu disse:

– Caramba, é medo para ninguém botar defeito. Garotos e garotas, bem como adultos, que não vencerem esses medos serão prisioneiros deles.

Diante disso, comentei sobre um grande sonho:

– Há muitas armadilhas mentais que asfixiam alunos no mundo todo. Por isso estamos pedindo para todos os pais e professores conhecerem o programa Escola da Inteligência (E.I.) para entrar na grade curricular, uma aula por semana, de todas as escolas, para os alunos aprenderem a proteger a emoção, a gerenciar a mente, a superar medos e bloqueios e a desenvolver o raciocínio.

– Alguns diretores de escolas particulares veem seus alunos como números; estão preocupados com o desempenho nas provas, mas não com sua formação humana, com sua saúde emocional – afirmou Laura, uma psicopedagoga.

– Não é a maioria – afirmei eu. Mas infelizmente há escolas assim. Por isso, estamos pedindo para os pais e professores conhecerem o programa E.I., para que entendam o grande sonho da educação da emoção, do treinamento da memória, da formação de mentes brilhantes e saudáveis.

– Por que você desenvolveu o programa E.I.? – indagou o professor Marcos.

– Porque 80% dos jovens estão apresentando timidez; 28% estão apresentando sintomas depressivos. Enfim, milhões deles em todas as culturas não desenvolvem adequadamente seu potencial intelectual, relações saudáveis, raciocínio complexo, debate de ideias, prazer de estudar, concentração, generosidade, altruísmo, resiliência.

– Então o objetivo é fazer com que a escola clássica se torne psicologicamente saudável? – perguntou o Dr. Plácido.

– Exatamente – respondi.

– Deve ser difícil aplicar na escola – comentou o psiquiatra.

– De modo algum. Ele entra na grade curricular com uma aula por semana. E os próprios professores da escola são treinados para aplicá-lo. O programa encanta tanto os alunos que eles ficam contando com euforia os dias e as horas para a E.I. Os professores disputam para ser aplicadores. E gostaria de dizer que renunciei aos direitos autorais do programa E.I. para ser acessível a todas as escolas, inclusive para ser aplicado gratuitamente em jovens em situação de risco.

– Como a direção da escola, os professores e os pais contatam o programa Escola da Inteligência? – indagou a pedagoga Roberta.

– Pelo site www.escoladainteligencia.com.br.

– Em algumas escolas em que damos assistência, já estamos aplicando o programa – comentaram Adriana e Mariana, duas psicólogas. – Ele tem diminuído significativamente a violência, melhorado a solidariedade, expandido a concentração e o raciocínio dos alunos. Eles têm aprendido ainda a lidar com os medos, a gerir a mente, a educar a emoção e a proteger a memória!

– Fico feliz com os resultados... Mas vamos continuar com as técnicas para treinamento da memória. *A quinta técnica é superar o "coitadismo", o conformismo e o negativismo.* Quem quer brilhar nas provas da escola e da vida tem de superá-los.

– Mas o "coitadismo", o conformismo e o negativismo são tão sérios assim? – perguntou o professor Jaime.

– Mais sérios do que imaginamos: o jovem "coitadista" tem dó de si mesmo, acha-se azarado, sem sorte na vida, destinado a ser infeliz e programado para ser um derrotado. O jovem conformista é desanimado, não tem coragem de mudar sua história, não luta pelo que ama, deixa todo mundo passar por cima dele e, quando resolve enfrentar as pessoas, tem uma reação explosiva que fere todos ao seu redor. O jovem negativista é aquele que só vê o lado ruim das coisas: se chove, é um problema; se faz sol, é uma dificuldade. Fala mal de tudo e de todos, inclusive de si mesmo. Desiste facilmente dos seus sonhos, destrói sua motivação, sua garra, sua

Os professores disputam para ser aplicadores.

alegria. Vamos continuar e falar da *sexta técnica: superar a neurose de estar sempre certo.*

– Caramba, essa neurose pega em cheio os jovens! A coisa mais difícil é ver um jovem reconhecendo seus erros e pedindo desculpas. Eles parecem deuses infalíveis, mas dão cada "bola fora"... – disse Daniel, professor de química do ensino médio.

Diante disso, comentei:

– Alguns jovens explodem quando contrariados, outros saem emburrados, e outros, ainda mais bravos, pisando forte. Se fossem espertos, saberiam que a coisa mais gostosa é olharmos de frente para nós mesmos e termos a coragem de reconhecer nossas tolices, nossa estupidez, nossas falhas. Se de um lado uma boa parte dos jovens tem medo de reconhecer sua estupidez, de outro há milhares de adultos que se cobram demais quando erram. Eles reconhecem suas falhas, mas infelizmente se punem muitíssimo. Por isso, a *sétima técnica* para expandir nosso potencial intelectual é: *não se cobrar demais.* Quem cobra demais de si mesmo? – perguntei à plateia de mestres.

A resposta foi solene. Quase todos levantaram as mãos. Então completei:

– Quem cobra demais dos outros cria um inferno nas relações sociais. Quem cobra demais de si cria um inferno na sua emoção, torna-se um carrasco de si mesmo, destrói sua criatividade. Você conhece jovens cobradores, professor Bartolomeu?

– De monte! Há jovens que são especialistas em massacrar as namoradas, por exemplo. Acham que elas são sua propriedade. Não sabem que sem liberdade não existe romance.

– E os alunos que se cobram demais para ir bem nas provas? – indagou o professor Barnabé. – Há muitos assim na minha escola! Cobram-se tanto que, como aprendi aqui hoje, quando estão fazendo as benditas provas, entram nas *janelas killer*, que, por sua vez, geram um volume de estresse tão grande que bloqueiam as outras janelas que contêm a matéria que eles estudaram. Daí, acontece o famoso "branco" na memória.

– Quem se cobra demais está apto para trabalhar num banco, mas não para ter uma bela história de amor consigo mesmo e com sua inteligência. Os bancários têm de se cuidar, pois passam por um estresse altíssimo.

– Há pais que cobram tanto dos seus filhos que pegam no pé, nas mãos, nos cabelos... Não dão espaço para os garotos – falou o professor Marcos.

– Pais que cobram demais perdem a admiração dos filhos. Deveriam colocar limites, mas jamais se esquecer de elogiar três vezes mais do que criticam. No livro *Pais inteligentes formam sucessores, não herdeiros*, comento que pais no mundo todo, ao criticarem e cobrarem excessivamente dos filhos, geram herdeiros, e não sucessores. Herdeiros são imediatistas, querem tudo rápido e pronto como um hambúrguer, enquanto sucessores elaboram seus projetos, pensam a médio e longo prazos. Herdeiros vivem à sombra dos pais, enquanto sucessores constroem seu legado. Herdeiros exploram os pais como pequenos ditadores, enquanto sucessores se curvam em agradecimento aos seus educadores, inclusive seus professores. Herdeiros detestam o "não", enquanto sucessores sabem a importância dele. Herdeiros são gastadores irresponsáveis da sua herança, seja ela a vida, os valores, a ética ou os bens materiais, enquanto sucessores preservam e enriquecem sua herança. O que estamos formando: herdeiros ou sucessores?

– Pais inteligentes formam sucessores. Poxa, nunca pensei nisso – disse o professor Bartolomeu.

– Nem eu. Nunca pensei nas gritantes diferenças entre herdeiros e sucessores. Preciso urgentemente repensar minha postura não apenas com meus alunos, mas com meus dois filhos – falou a professora Maria Laura.

Naquele momento, o professor Barnabé, vendo que a plateia estava muda, pois provavelmente formava mais herdeiros do que sucessores, inclusive ele, brincou de maneira séria:

– Mestres e mestras: relaxem! Você errou? Deu uma "bola fora" com seus filhos e alunos? Não se envergonhe! Como aprendemos nesta conferência, levante a cabeça, corrija seus erros e grite dentro de você: "Agora é que vou plantar *janelas light* em meus garotos!". Lembre-se do que ouvimos: ninguém é digno do pódio se não usar seus fracassos para alcançá-lo.

Todos o aplaudiram aliviados.

As "chaves da memória"

Em seguida, como o tempo da conferência já tinha estourado, eu disse a todos:

– Vamos para a *oitava técnica: resumir rapidamente na mente o que se ouve ou o que se estuda.* Para realizar esse resumo ou síntese, é necessário prestar muita atenção no professor ou no livro que se está lendo. Depois disso, é só começar a treinar a elaboração de pequenos textos ou frases que se tornem "chaves das *janelas da memória*" dos assuntos vistos.

– "Chaves das *janelas da memória*"? Nunca imaginei que isso pudesse existir! – disse Luiz, professor de psicologia, que não conhecia a teoria das *janelas da memória.*

– Construir tais chaves é algo muito importante para abrir as *janelas da memória* em algum momento futuro, que pode ser no mesmo dia, no mês ou nos anos seguintes. O que acontece, professor, quando você vê uma pessoa que há muito tempo não encontrava ou se depara com um objeto que deseja muito? A imagem dessa pessoa ou objeto começa a abrir sua memória e a lhe trazer inúmeras recordações.

— Poxa! Agora entendi!

— A memória humana é diferente da memória dos computadores. Ela abre muitas janelas em sequência e, por isso, precisa de chaves. Por exemplo: toda essa técnica de inteligência que estamos aprendendo pode ser sintetizada numa única chave: preste atenção; resuma os assuntos. Quando se trata de memória, precisamos ser seletivos. Não dá para guardar todas as informações, mas é possível selecionar o que é mais importante para ser arquivado na memória.

— Mas desenvolver essa técnica não é nada fácil — observou a professora Júlia, que dava aulas de língua no ensino médio.

— Depende de treinamento. Mas, depois de algumas semanas aplicando-a, nossa concentração e a assimilação de novos conteúdos melhoram muito. Nas primeiras vezes, fazer resumos até dá um desgaste cerebral, mas depois nossa mente fica espertíssima e "antenada". Otimizamos o espaço e organizamos melhor as informações na memória. O ideal, ainda, é escrever a síntese ou o resumo que elaboramos na mente em cadernos, para facilitar a lembrança.

— Depois dessa, imagino que acabaram as técnicas para formar pensadores... — disse o professor Bartolomeu, respirando fundo.

— Não, professor! Ainda resta mais uma muito importante! — respondi.

— Qual? — quis saber ele.

— A *nona técnica chama-se estudo disciplinado*. Todas as aulas do dia têm de ser estudadas naquele mesmo dia, de 30 minutos a 1 hora após. Se demorar um ou dois dias para estudá-las, a energia intelectual gasta pelo cérebro será duas ou três vezes maior.

— Caramba, eu não sabia de nada disso! Mas faz sentido — falou o professor.

– Todo aluno deveria guardar consigo a seguinte frase: Aula dada/aula estudada melhora a eficiência intelectual e gasta menos energia cerebral! Essa frase não é brincadeira! É uma atitude inteligente.

– Você me falou que a memória humana é como uma cidade complexa. Quer dizer que, quanto mais o aluno demorar para estudar a matéria que foi dada, mais esforço ele terá de fazer para encontrar os bairros da matéria na imensa cidade da memória? – indagou o psiquiatra Dr. Plácido.

– Exato! Por isso não há alunos desinteligentes, burros, incapazes, mas alunos não disciplinados. Os alunos ficam perdidos! Quem estuda em cima das provas, ao contrário do que se pensa, estressa muito mais o cérebro do que quem tem um estudo disciplinado, porque acaba colocando todos os ovos na mesma cesta, ou seja, todas as informações num mesmo grupo de janelas.

– É incrível. Em todas as escolas de psicologia, pedagogia e em todos os cursos de formação de professores, deveríamos aprender minimamente a teoria das *janelas da memória*! – comentou o Dr. Plácido.

Nesse momento, comentei com o professor que o governo pode gastar bilhões na formação de professores, em equipamentos de última geração, na construção de escolas belíssimas, tudo isso para melhorar a educação. Mas, se não investir na mente dos alunos, nas funções mais complexas da inteligência e nas técnicas para equipar o Eu como autor da própria história e para treinar a memória, teremos enormes dificuldades para formar pensadores, para gerar mentes brilhantes.

– Caramba, como nossa mente é complexa! – falou Bartolomeu.

Ele, que era um notável professor de física, novamente citou Einstein como exemplo. Disse que Einsten era desleixado em muitos detalhes cotidianos, fazia uma bagunça enorme na cozinha, deixava sapatos por todo lado, não penteava o cabelo ao acordar...

– Em compensação, nas suas pesquisas, ele era fera, disciplinado, superava seu medo de errar, duvidava de suas falsas crenças e de seu sentimento de incapacidade. Tinha uma mente livre, não se cobrava demais e tinha paixão por estudar – concluiu Bartolomeu.

– Einstein, sem conhecer essas técnicas, vivenciou-as intuitivamente... – comentei.

– Mas espere um pouco, Dr. Cury: como alguns alunos serão disciplinados se não conseguem ficar nem 10 minutos estudando a matéria? São estressados, agitadíssimos, inquietos, e o último lugar em que querem estar é dentro da sala de aula.

– Não há mágica, professor! Se praticarem as técnicas das quais falamos anteriormente todos os dias, eles desenvolverão disciplina e darão um salto na inteligência. Nos primeiros 10 dias, é difícil ter disciplina; depois, criarão um hábito. Mas as dicas não param por aí. Há outra, que poderíamos chamar de *décima técnica: revisar rapidamente, pelo menos por cinco minutos, cada uma das últimas três aulas ligadas à aula dada/aula estudada.*

– Como assim? – perguntou a professora Fernanda.

– Antes de estudar a aula de hoje, dê uma olhada na matéria das três ou quatro aulas anteriores, leia as chaves das janelas. Esse é um dos maiores segredos para melhorar o desempenho intelectual.

– Por quê? – perguntou ela.

– Porque o *fenômeno RAM* retira o conhecimento de uma janela e o arquiva em múltiplas outras janelas ou, como dissemos, nos "bairros" da memória. Essa pulverização em vários arquivos facilita muitíssimo a assimilação e o resgate dessas informações, até mesmo pelas pessoas que acreditam ter memória limitada.

E, de repente, o professor Marcos foi iluminado:

– Espere um pouco! Isso ajuda a explicar por que muitos alunos que juram estudar bem não sabem a razão de irem mal nas provas.

– Quem estuda uma só vez a mesma matéria deixa as informações que aprendeu no museu da memória, num arquivo específico – comentou a professora Júlia.

Barnabé disse:

– Agora entendi! Não adianta estudar muito só nas provas. Aprender não é fazer uma corrida de 100 metros, mas participar de uma maratona. Corre-se pouco e sempre. É assimilar, elaborar. As informações que aprendemos hoje devem ser revisadas na semana que vem, pelo menos um pouco.

– E, neste caso, resgatar ou lembrar deixa de ser procurar uma agulha num palheiro. Quando precisamos acessá-las, é muito mais fácil – complementou a professora Júlia.

– Mil vezes parabéns! Vocês entenderam – disse eu. E todos os professores aplaudiram essas ideias com entusiasmo.

– Quer dizer que aquele aluno que se acha incapaz, estúpido, lento, alienado, dono de uma memória curta... se praticar todas essas técnicas, pode chegar a desenvolver uma mente inteligente? – expressou o professor João Carlos, do ensino fundamental.

– Não tenho dúvidas, professor!

– E os alunos que são os melhores da classe não precisam dessas técnicas? – indagou a professora Laura.

– Eles precisam dessas técnicas, sim. É um erro achar que os melhores alunos da classe poderão se dar muito bem na vida se praticarem apenas a oitava e a nona técnicas. Eles precisam exercitar a primeira técnica (estudar com paixão), a segunda (conhecer a ousadia e as aventuras dos pensadores), a terceira (saber que quem vence sem riscos triunfa sem glórias), a quarta (superar as armadilhas do medo), a quinta (superar o "coitadismo", o conformismo e o negativismo), a sexta (superar a neurose das cobranças e ser espontâneo)... Se os melhores alunos da escola desprezarem essas técnicas, poderão fracassar na vida, ainda que ganhem muito dinheiro.

– São surpreendentes esses fenômenos – comentou o professor Bartolomeu.

– Quando esses alunos "caírem na vida", quando enfrentarem o mercado de trabalho, os desafios e as crises, poderão não saber trabalhar as perdas e frustrações, debater ideias, superar a insegurança, correr riscos, proteger a emoção, trabalhar em equipe, gerenciar seu estresse... Por isso, treinar a memória para ser inteligente é capacitar o Eu para ser líder de si mesmo.

Nesse momento, encerrei a conferência:

– Muito obrigado por vocês existirem! Muito obrigado por investirem tudo o que têm naqueles que pouco têm. Muito obrigado por acreditarem que a educação é o maior agente de transformação da sociedade. Jamais se esqueçam de que, com suas palavras, os professores atingem a memória dos seus alunos e, com sua sabedoria, educam a emoção desses alunos para que mudem o mundo, pelo menos o seu mundo...

Aprender não é fazer uma corrida de 100 metros, mas participar de uma maratona.

Capítulo 4

Cuidar da memória é cuidar do futuro socioemocional

1. Cuidado! O que você pensa de si pode determinar seu grau de ousadia ou timidez, pode levá-lo(a) a ser criativo(a) ou mentalmente engessado(a).
2. Analise se ao longo de sua história você não foi criticado(a) injustamente, se não falhou em público ao fazer uma exposição, se não teve um péssimo desempenho numa prova mesmo sabendo tudo da matéria, se não foi excluído(a) ou sofreu *bullying* importante. Todos esses estímulos estressantes produzem falsas crenças, geram *janelas killer duplo P*.
3. Não há gigantes na espécie humana. Mesmo uma pessoa destituída de grandes traumas na infância e adolescência pode, na vida adulta, passar por vexames, humilhações e derrotas que geram falsas crenças. Ninguém é desinteligente. Ninguém é incapaz. Ninguém é burro ou estúpido. Todo ser humano pode brilhar em sua inteligência, desde que não se torne carrasco de si mesmo ou refém da discriminação social.
4. Muitos se preocupam com o que é registrado nos arquivos dos seus computadores, mas raramente se preocupam com as mazelas arquivadas em sua memória.

5. Achamos que, pelo fato de não nos recordarmos de uma experiência negativa, ela foi embora. Como nos enganamos! Não temos consciência do deslocamento das experiências da memória consciente (MUC) para a memória inconsciente (ME). Tudo aquilo de que você não recorda ainda faz parte de você.
6. Não compreendemos que estamos formando bairros doentios na grande cidade da memória, contaminando seu ar, esburacando suas ruas, destruindo sua iluminação. Pouco a pouco, podemos perder saúde emocional se não filtramos os estímulos estressantes, reeditamos o filme do inconsciente e protegemos a memória.

Ricos miseráveis e miseráveis ricos

É possível ter uma vida adulta feliz mesmo tendo vivido uma infância completamente infeliz, traumática e doentia: basta aprender a reconstruir a MUC por meio do gerenciamento dos pensamentos e das emoções.

Além disso, é possível ter uma vida angustiante mesmo tendo tido um berço de ouro, sem traumas ou privações. Há ricos que vivem miseravelmente e há miseráveis que fazem de cada dia um novo dia.

Estes não possuem roupas de marca, carros luxuosos, casa na praia, mas sua memória é um jardim onde brotam espontaneamente ricas emoções e belos pensamentos. Cuidaram com carinho da memória de uso contínuo (MUC).

Se você quer trabalhar os papéis da memória com sabedoria, gaste tempo contemplando as pequenas coisas da vida, liberte sua criatividade, treine colocar seus pensamentos sob seu controle, dê um choque de lucidez na sua emoção.

Se fizer isso, seus dias serão felizes; mesmo atravessando seus desertos, suas manhãs serão irrigadas pelo orvalho, seu sorriso será espontâneo e prolongado...

O Mestre dos mestres formando pensadores

As atitudes de Jesus deixam fascinados os intelectuais lúcidos. Na última ceia, Jesus anunciou sua morte e disse, com o coração partido, que um dos discípulos o trairia. Abalados, todos queriam o nome do traidor.

Mas Jesus nunca expunha publicamente os erros das pessoas.

E você, expõe os erros dos seus filhos, de colegas de trabalho e de outras pessoas publicamente?

A melhor maneira de bloquear o crescimento de uma pessoa é fazê-la passar vexame em público. Jesus não daria o nome do traidor, protegeria Judas. Eles insistiram. Então, mostrando uma humanidade admirável, em vez de acusar Judas, deu-lhe um pedaço de pão. O traidor queria golpeá-lo, mas o Mestre dos mestres queria saciá-lo. Sabia que ele tinha fome de paz.

Ninguém percebeu o que se passava, apenas Judas.

Em seguida, Jesus, mais uma vez, demonstrou uma força e serenidade brilhantes como o sol. Disse sem temor a Judas: "O que pretendes fazer, faze-o depressa". Ele não o criticou, não o pressionou, não o controlou, pois queria formar mentes livres e pensantes. Teve a ousadia de dizer que, se Judas quisesse traí-lo, poderia fazê-lo – e depressa.

Nunca na história alguém teve uma atitude tão altruísta com seu traidor. Mais uma vez eu afirmo: ele não tinha medo de ser traído por Judas; tinha medo, sim, de perder um amigo.

Ao dar um pedaço de pão a Judas em vez de agredi-lo e ao encorajá-lo a tomar livremente a atitude que quisesse, Jesus estava gritando docilmente para que o discípulo repensasse sua história, reeditasse sua memória e se tornasse líder de si mesmo.

Jesus era um professor excepcional. Mesmo sabendo que iria ser traído por Judas e negado por Pedro, liderou seus pensamentos, administrou sua emoção, protegeu sua memória e deu plena liberdade a eles.

No ato da traição, houve mais uma prova de que Jesus estava "tramando" reconquistar Judas. Este chegou com uma grande escolta. Estava nervoso e ofegante. Precisava identificar Jesus naquela noite escura e fria. Embora fosse trair o Mestre dos mestres, sabia que ele era profundamente dócil. Bastava um beijo para identificá-lo. Então, tomou a frente da escolta e foi beijá-lo.

Um homem que protegeu a memória como raros

Você se deixaria beijar por seu traidor? Você já foi traído(a)? Como e quando? Formou *janelas killer* poderosas com a traição ou voltou a conversar e a se relacionar com o traidor?

Os desafetos não nos traem ou decepcionam. Só os amigos nos traem, pois é deles que esperamos muito. Não devemos nos esquecer das ferramentas para proteger a emoção, em destaque "doar-se sem esperar retorno". Muitos nunca mais conversaram com seus amigos depois de uma traição.

O homem Jesus se deixou beijar. E suas atitudes incomuns continuaram. Ele fitou seu traidor e disse-lhe: "Amigo, para que vieste? Com um beijo trais o Filho do homem?".

Não se tem notícia na história de que um traidor tenha sido tratado com tanta gentileza. Nunca a sensibilidade e a capacidade de dar tudo o que se tem para os que pouco têm chegaram a patamares tão altos. Ele chamou seu traidor de amigo.

Não mentiu. Como o mais fiel e consciente dos homens, ele cumpriu sua palavra ao extremo. Ele havia dito no Sermão do Monte que deveríamos proteger a emoção, dar a outra face aos inimigos (elogiá-los) e amá-los. Ele deu a outra face. E quase Judas usa seu erro para crescer e se tornar um dos maiores pensadores da história. Mas seu Eu não foi autor da sua história. Ele saiu da *janela killer* da traição e se enredou na *janela killer duplo P* da culpa.

O professor incluiu seu traidor e não o excluiu. Mostrou que a pessoa que erra é maior que seu erro. Procurou proteger sua emoção e sua memória. Queria conquistar Judas, objetivava que ele desse uma nova chance para si mesmo e transformasse sua falha numa oportunidade excelente para crescer. Sonhava em prevenir que Judas tirasse a própria vida.

Intenções jamais cumpridas

Nesses anos todos exercendo a psiquiatria e pesquisando os segredos da mente humana, descobri que não sabemos proteger a memória e, por isso, todos nós temos algumas atitudes de Judas em nosso currículo, ainda que inconscientemente. Quem não é traidor? Você pode nunca ter traído alguém, mas dificilmente não traiu sua qualidade de vida.

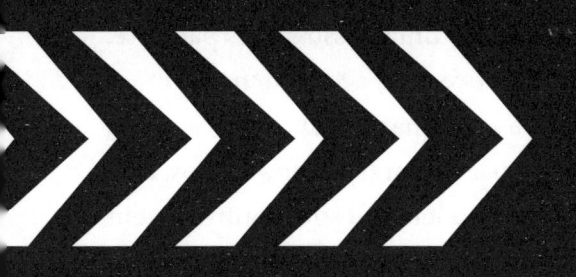

Quem não é traidor?
Você pode nunca
ter traído alguém,
mas dificilmente
não traiu sua
qualidade de vida.

Quantas vezes você disse que seria uma pessoa mais paciente, mas uma ofensa o(a) levou à ira? Você traiu a sua intenção.

Quantas vezes você prometeu que amaria mais, sorriria mais, viveria mais suavemente, trabalharia e se preocuparia menos, mas não cumpriu sua promessa? Alguns traem seu sono, outros traem seus sonhos, seus finais de semana, o tempo com seus filhos. Precisamos treinar nossa memória para ser fiel à nossa consciência. Precisamos equipar nosso Eu para lapidar a autoestima, superar as falsas crenças, proteger a mente.

Ser inteligente não é só treinar a memória para dar respostas brilhantes, impactar pessoas, libertar a criatividade, fazer a diferença no trabalho e ter um excelente desempenho intelectual nas provas; é principalmente gerenciar a mente, ter um caso de amor com a saúde emocional. Você tem esse caso de amor? Como comento em meu livro *Petrus Logus*, uma aventura para jovens de 9 a 99 anos, ninguém pode ser um grande líder se primeiramente não for líder de si mesmo. Petrus Logus foi ferido, rejeitado, excluído, tachado de louco, mas não desistiu de si mesmo: escreveu os capítulos mais importantes de sua vida nos dias mais tristes de sua história. Vá mais longe...

Referências

ADORNO, Theodor W. *Educação e emancipação*. Rio de Janeiro: Paz e Terra, 1971.

AYAN, Jordan. *AHA!* – 10 maneiras de libertar seu espírito criativo e encontrar grandes ideias. São Paulo: Negócio, 2001.

BAYMA-FREIRE, Hilda A.; ROAZZI, Antônio. *O ensino público é um desafio para todos*: encontros e desencontros no ensino fundamental brasileiro. Recife: UFPE, 2012.

CAPRA, Fritjof. *A ciência de Leonardo da Vinci*. São Paulo: Cultrix, 2008.

CHAUI, Marilena. *Convite à filosofia*. São Paulo: Ática, 2000.

CURY, Augusto. *O código da inteligência*. Rio de Janeiro: Ediouro, 2009.

_____. *Pais brilhantes, professores fascinantes*. Rio de Janeiro: Sextante, 2003.

_____. *Inteligência multifocal*. São Paulo: Cultrix, 1999.

_____. *A fascinante construção do Eu*. São Paulo: Planeta, 2012.

DESCARTES, René. *O discurso do método*. Brasília: UnB, 1981.

DOREN, Charles Van. *A history of knowledge*. New York: Random House, 1991.

FOUCAULT, Michel. *A doença e a existência*. Rio de Janeiro: Folha Carioca, 1998.

FREUD, Sigmund. *Obras completas*. Madri: Editorial Biblioteca Nueva, 1972.

FROMM, Erich. *Análise do homem*. Rio de Janeiro: Zahar, 1960.

GARDNER, Howard. *Inteligências múltiplas*: a teoria na prática. Porto Alegre: Artes Médicas, 1994.

GOLEMAN, Daniel. *Inteligência emocional*. Rio de Janeiro: Objetiva, 1995.

HALL, Calvin S.; LINDZEY, Gardner. *Teorias da personalidade*. São Paulo: EPU, 1973.

HUBERMAN, Leo. *História da riqueza do homem*. Rio de Janeiro: Guanabara, 1986.

JUNG, Carl Gustav. *O desenvolvimento da personalidade*. Petrópolis: Vozes, 1961.

LIPMAN, Matthew. *O pensar na educação*. Petrópolis: Vozes, 1995.

MORIN, Edgar. *Os sete saberes necessários à educação do futuro*. São Paulo: Cortez, 2000.

PIAGET, Jean. *Biologia e conhecimento*. Petrópolis: Vozes, 1996.

SARTRE, Jean-Paul. *O ser e o nada*. Petrópolis: Vozes, 1997.

STEINER, Claude. *Educação emocional*. Rio de Janeiro: Objetiva, 1997.

YUNES, Maria Angela Mattar. *A questão triplamente controvertida da resiliência em famílias de baixa renda*. 2001. Tese (Doutorado em Psicologia da Educação) – Pontifícia Universidade Católica de São Paulo, São Paulo, 2001.

Sobre o autor

"A maior aventura de um ser humano é viajar, e a maior viagem que alguém pode empreender é para dentro de si mesmo. E o modo mais emocionante de realizá-la é ler um livro, pois um livro revela que a vida é o maior de todos os livros, mas é pouco útil para quem não souber ler nas entrelinhas e descobrir o que as palavras não disseram..."

Augusto Jorge Cury nasceu em Colina, estado de São Paulo, no dia 2 de outubro de 1958. É o psiquiatra mais lido no mundo atualmente, professor, escritor e palestrante brasileiro, autor da Teoria da Inteligência Multifocal. Formado em medicina pela Faculdade de Medicina de São José do Rio Preto, fez pós-graduação na Pontifícia Universidade Católica de São Paulo, PUC-SP, e concluiu seu doutorado internacional em Psicologia Multifocal pela

Florida Christian University no ano de 2013, com a tese "Programa Freemind como ferramenta global para prevenção de transtornos psíquicos". Na carreira, dedicou-se à pesquisa sobre o processo de construção de pensamentos, formação do Eu, os papéis conscientes e inconscientes da memória, o programa de gestão de emoção e a lógica do conhecimento e o processo de interpretação.

Cury é professor de pós-graduação da Universidade de São Paulo, USP, e tem vários alunos mestrando e doutorando. É conferencista em congressos nacionais e internacionais. Foi conferencista no 13º Congresso Internacional sobre Intolerância e Discriminação da Universidade Brigham Young, nos Estados Unidos.

Considerado pelas revistas *IstoÉ* e *Veja*, pelo jornal *Folha de S.Paulo* e pelo instituto Nielsen o autor mais lido das últimas duas décadas no Brasil, seus livros já foram publicados em mais de setenta países e venderam mais de trinta milhões de exemplares apenas no Brasil.

No ano de 2009, recebeu o prêmio de melhor ficção do ano da Academia Chinesa de Literatura pelo livro *O vendedor de sonhos*, adaptado para o cinema em 2016, uma produção brasileira com direção de Jayme Monjardim.

O romance é considerado um *best-seller*, com milhões de cópias vendidas por todo o mundo. O filme se tornou também um sucesso de bilheteria e um dos mais visto da Netflix. O livro discorre, de maneira profunda, sobre os problemas emocionais e psicológicos e sobre as angústias da humanidade. Devido a todo o sucesso dessa obra, Cury escreveu duas sequências: *O vendedor de sonhos e a revolução dos anônimos* (2009) e *O semeador de ideias* (2010). Outros livros serão filmados, como *O futuro da humanidade* e *O homem mais inteligente da história*.

A Teoria da Inteligência Multifocal é uma das raras teorias sobre o processo de construção de pensamentos e adotada em algumas importantes universidades. Ela visa explicar o funcionamento da mente humana e as formas para exercer maior gerenciamento da emoção e do pensamento.

É criador da Escola da Inteligência, o maior programa mundial de educação socioemocional, com mais de 400 mil alunos, que promove desenvolvimento emocional de crianças, adolescentes e adultos. Elaborou o Programa Freemind, 100% gratuito, usado em centenas de instituições e clínicas, ambulatórios e escolas, para contribuir com o desenvolvimento de uma emoção saudável para a prevenção e o tratamento da dependência de drogas. Também é autor do Programa Você é Insubstituível, primeiro programa mundial de gestão da emoção para prevenção de transtornos emocionais e suicídios, 100% gratuito, adotado por muitas instituições, como a Polícia Federal e Associação de Magistrados do Brasil. E foi adotado mundialmente por uma nova rede social, a Gotchosen, que está disponível sem custos para todo ser humano de qualquer país! Entre na Gotchosen através do convite do Dr. Cury na bio dele do Instagram!